D0318503

PRIER AVEC LES FAMILLES DES DÉFUNTS

Imprimé en France *Printed in France*
ISBN 2-7082-3188-X

Maurice EUZEN
et une équipe du diocèse de Quimper

PRIER AVEC LES FAMILLES DES DÉFUNTS

Les Editions Ouvrières
12 avenue Sœur Rosalie
75013 Paris

Dans la même collection, dirigée par Michel Scouarnec :

Série « Guides » :

Découvrir Dieu avec nos enfants, Louis Malle.
Renaître, Gérard Garnier et Abel Pasquier.
De tout leur corps, des jeunes te célèbrent, Philippe Denis.
Porter la communion aux malades et aux absents, Collectif.
La fête de notre mariage, Michel Scouarnec.
La foi, une aventure, Michel Retailleau.
Face à la mort, des vivants. Pour célébrer les funérailles, Louis Malle.
Pour célébrer, Collectif dirigé par Michel Scouarnec.
La fête de son baptême, Collectif.
Pour célébrer la réconciliation, Bernard Marliangeas.
Préparer et célébrer les funérailles, Pierre Vibert avec les équipes liturgiques.

Vous pourrez trouver dans la série « Recueils » :

Passer la mort, présenté par le Service de pastorale sacramentelle et liturgique du diocèse de Lyon.

AVANT-PROPOS

De plus en plus de chrétiens aujourd'hui sont amenés à découvrir qu'une place importante leur revient dans l'accompagnement des familles en deuil. Et un peu partout, ils sont nombreux à participer à la préparation et à l'animation des temps de célébration et de prière qui constituent les divers moments du rituel des funérailles chrétiennes.

Ce livre a été conçu pour eux. Il voudrait les aider à construire et à diriger un temps de prière avec l'entourage du défunt. Parmi les éléments proposés, ils sauront choisir et mettre en œuvre ce qui conviendra, en tenant compte des participants, des lieux et des circonstances.

Il faut se rappeler que, dans ces occasions, l'essentiel n'est pas de « dire des prières » en multipliant les formules, mais qu'il s'agit de PRIER, de créer une atmosphère de recueillement, de faire advenir le SILENCE où peut être reçue une parole de foi et d'espérance.

L'animateur veillera également à favoriser, autant qu'il est possible, la participation des proches en confiant à tel ou tel la proclamation d'un texte, la lecture des invocations ou des intentions de prière, ou bien l'un des gestes prévus.

Et chacun s'efforcera, par son attitude et le ton de sa voix, d'aider les personnes présentes à se mettre à l'écoute du Seigneur et de sa parole. Puissent-elles trouver dans son message de paix et d'espérance un peu de réconfort pour traverser l'épreuve et s'ouvrir à la lumière de Pâques qui éclaire nos croix les plus sombres.

L'ensemble de ces propositions puise abondamment au rituel officiel de l'Eglise « Prière pour les défunts à la maison et au cimetière » ; loin de chercher à le remplacer, cet ouvrage se veut plutôt une aide et un moyen pour apprendre à bien utiliser le rituel.

DEUX MODÈLES DE PRIÈRE AUPRÈS D'UN DÉFUNT

On trouvera ici deux modèles de prière longues qui pourraient convenir, par exemple, à l'occasion d'une veillée à la maison ou avec un groupe de parents et d'amis à la chambre funéraire ou à l'hôpital.

Mais selon les circonstances, l'animateur choisira seulement certains éléments parmi ceux proposés : une introduction, un texte biblique, une action de grâce, un psaume, un texte non biblique. Il pourrait y avoir ainsi une séquence « 1-5-7 », ou bien « 3 et 4 », ou encore « 2-6-8 ».

Mais si l'on ne dispose que d'un temps bref, on se contentera d'une seule page, chacune ayant été pensée comme pouvant se suffire à elle-même. Voir encadré ci-après.

MOMENT DE LA VEILLÉE

Première prière

« Dieu a créé l'homme
pour une existence impérissable,
Il a fait de lui une image
de ce qu'Il est en lui-même. »
(Sg 2,23)

POUR ENTRER DANS LA PRIÈRE

On peut faire le signe de la croix.

☞ *Pour des cas particuliers, On trouvera d'autres introductions p. 59-63.*

Parents, amis, voisins, nous voici rassemblés autour de N... qui vient de nous quitter. Nous voulons dire à ses proches notre sympathie et notre amitié. Nous voulons prendre part à leur peine.
Nous sommes aussi rassemblés pour prier, pour affirmer notre foi et notre espérance de chrétiens devant la mort.
Rappelons-nous ces paroles de Jésus.

« Moi, je suis la Résurrection et la Vie. Celui qui croit en moi, même s'il meurt, vivra. » (Jn 11, 25)
« Tout homme qui croit en moi ne périra pas, mais il obtiendra la vie éternelle. » (Jn 3, 16)

☞ *On trouvera d'autres paroles brèves p. 19 et 35-36.*

Avec respect et confiance, remettons N... entre les mains de Dieu.
Qu'il l'accueille dans sa joie et sa paix !
Prions en silence.

Après quelques instants de prière silencieuse, l'animateur poursuit :

Seigneur Jésus,
Toi qui as promis
que tu serais au milieu de ceux qui sont réunis en ton Nom,
nous venons vers toi avec confiance.
Nous voulons redire avec foi la prière que tu nous as apprise,
celle de tout enfant de Dieu :

NOTRE PERE...

LE CHRIST, LUMIÈRE DANS NOTRE NUIT

Après avoir allumé en silence un cierge...
on peut rappeler la parole du Christ :

« Je suis la lumière du monde, dit Jésus.
Celui qui me suit ne marchera pas dans les ténèbres,
il aura la lumière de la vie. » (Jn 8, 12)

On peut ajouter :

Au jour de son baptême, a été remise à N... une lumière allumée au Cierge Pascal.
Nous pouvons rappeler en ce moment les paroles qui lui ont été dites ce jour-là :

« Recevez la LUMIÈRE DU CHRIST. Veillez à l'entretenir. Avancez dans la vie en enfant de Lumière et persévérez dans la Foi. Ainsi, quand viendra le Seigneur, vous pourrez aller à sa rencontre, avec tous les saints, dans son Royaume... »

C'est maintenant que se réalise pour N... cette rencontre avec le Seigneur.
Acclamons ensemble le Christ Lumière...
On veillera à dire les paroles avant de les chanter :

Christ est lumière au cœur des pauvres,
Christ est lumière au cœur du monde

ou bien :

Lumière des hommes, nous marchons vers toi.
Fils de Dieu, tu nous sauveras

ou bien :

Baptisé dans la lumière de Jésus,
tu renais avec lui du tombeau (bis)
Pour que s'éclaire chacune de tes nuits,
Dieu te prend aujourd'hui par la main :
Tu es son enfant bien-aimé

L'animateur peut ajouter cette prière :

Seigneur, tu es la vraie lumière venue dans le monde.
Nous te prions : ne nous laisse jamais dans la nuit,
et que l'espérance ne cesse d'éclairer nos chemins,
puisque tu es avec nous depuis toujours,
et pour les siècles des siècles. Amen

POUR RENDRE GRÂCE

L'animateur peut dire en commençant :

Il y a, au cœur de tout homme, un besoin de lumière et de vérité, une soif de justice et d'amour, le désir d'être bon et fidèle... Nous pouvons ensemble remercier le Seigneur pour toutes les richesses que nous avons vécues et partagées ici-bas avec N... Car rien de tout cela n'est perdu.

On pourra personnaliser les raisons de rendre grâce en rappelant, avant chaque formule (Pour...) des attitudes, des gestes, des paroles, des habitudes, des traits de caractère de la personne décédée.

Répondons à chaque évocation :

Seigneur, nous te bénissons !

Pour le cœur qu'il (elle) mettait à ses travaux de chaque jour...R/
Pour son attention à ceux qu'il (elle) rencontrait, et son souci de rendre heureux ceux qu'il (elle) aimait... R/
Pour la justice qu(il (elle) défendait et la paix qu'il (elle) cherchait à construire... R/
Pour la conscience de ses limites et son désir de faire toujours mieux... R/
Pour sa part de bonheur et de joie sur cette terre...
Pour sa loyauté dans les heures de doute... R/

Après un temps de silence...

Dieu de toute bonté, toi notre Dieu,
même aujourd'hui, au cœur de notre deuil,
nous voulons te bénir et te louer
pour tous les dons que ton amour a fait rayonner
dans la vie de N...
Qu'il (elle) entre maintenant dans la joie et la paix,
là où demeurent tes amis,
près de Toi pour les siècles de siècles. Amen

POUR DEMANDER PARDON

L'animateur peut dire :

Quand l'un de nous s'en va, nous sommes spontanément bienveillants et enclins au pardon. Dieu lui-même n'est-il pas un Père qui pardonne à chacun ? Supplions-le de regarder avec bonté notre vie et celle de N... Demandons-lui de nous pardonner et d'accueillir N... qui vient de nous quitter.

Après un silence, on peut chanter (et dans ce cas, dire les paroles avant) ou bien seulement réciter :

O notre père, prends pitié de nous !
Dieu est amour, Dieu est lumière,
Dieu notre Père.

Des profondeurs je crie vers toi, Seigneur,
Seigneur, écoute mon appel !
Que ton oreille se fasse attentive
au cri de ma prière.

Si tu retiens les fautes, Seigneur,
Seigneur, qui subsistera ?
Mais près de toi se trouve le pardon
pour que l'homme te craigne.

J'espère le Seigneur de toute mon âme ;
je l'espère et j'attends sa parole.
Mon âme attend le Seigneur
plus qu'un veilleur ne guette l'aurore.

Oui, près du Seigneur, est l'amour ;
près de lui, abonde le rachat.
C'est lui qui rachètera Israël
de toutes ses fautes.

(Psaume 129)

Celui qui anime dit la prière suivante :

Seigneur notre Dieu,
tu es un Père qui aime pardonner,
un ami qui ne ferme jamais son cœur.
Reçois maintenant dans ta maison N...
à la place que tu as préparée.
Ouvre-lui tes bras, et donne-lui le bonheur
que rien ne peut détruire. Par Jésus-Christ, notre Seigneur.

POUR ÉCOUTER LA PAROLE DE DIEU

L'animateur peut dire :

Notre foi et notre espérance de chrétiens s'enracinent dans la Parole de Dieu et le message de Jésus, l'EVANGILE.

Il sera bon de choisir le ou les textes qui conviennent selon la personnalité du défunt, les circonstances de sa mort, etc.

☞ *On pourra choisir dans les textes du Lectionnaire pour les défunts :*
- *Isaïe 25, 6a. 7-9*
- *Lamentations 3, 17-19*
- *Romains 14, 7-9. 10b-12*
- *1Thessaloniciens 4, 13-14. 17d-18*
- *1 Jean 3, 14. 16-20*
- *etc.*

On pourra prier avec un psaume.

En certains cas, on pourra se contenter d'une lecture brève :

Quelques jours avant la Pâque, Jésus disait à ses disciples : « Si le grain de blé tombé en terre ne meurt pas, il reste seul ; mais s'il meurt, il donne beaucoup de fruit. » (Jn 12, 24)

« La volonté de celui qui m'a envoyé, dit Jésus,
c'est que je ne perde aucun de ceux qu'il m'a donnés,
mais que je les ressuscite tous au dernier jour. » (Jn 6, 39)

« Venez à moi, dit le Seigneur,
vous tous qui peinez sous le poids du fardeau,
et moi, je vous procurerai le repos. » (Mt 11, 28)

Jésus leva les yeux au ciel et pria ainsi :
« La vie éternelle, c'est de te connaître, toi, le seul Dieu, le vrai Dieu, et de connaître celui que tu as envoyé, Jésus-Christ.
Père, ceux que tu m'as donnés,
je veux que là où je suis,
eux aussi soient avec moi. » (Jn 17, 3.24)

☞ *voir aussi p. 35.*

Pour conclure, l'animateur pourra prendre une prière de l'une des autres pages de ce recueil.

POUR DIRE NOTRE ESPÉRANCE ET NOTRE FOI

L'animateur peut dire :

Dans l'épreuve et le chagrin, que le Seigneur ravive notre espérance et notre foi. Supplions-le ensemble.

Nous répondons à chaque invocation :

R/ Seigneur, fortifie notre foi !

Toi qui es mort pour nous
et qui as reçu du Père tout pouvoir sur la mort... R/

Toi qui es la Résurrection et la Vie,
et qui as les paroles de la Vie éternelle... R/

Toi qui es Lumière pour ceux qui marchent dans la nuit
et la force de ceux qui faiblissent... R/

Toi en qui nous trouvons un sens à nos épreuves
et qui ouvres nos cœurs à l'Espérance... R/

Toi qui nous donnes l'assurance de ton amour
plus fort que la mort... R/

Celui qui anime dit la prière suivante :

Reste avec nous Seigneur,
en cette heure où la mort
risque de nous faire douter de la vie.
Fais que nous gardions vivant le souvenir de N... ,
dans l'espérance de nous retrouver
auprès de Toi et du Père,
dans l'unité du Saint-Esprit,
pour les siècles des siècles. Amen

☞ *On pourrait prendre aussi le chant « Souviens-toi de Jésus-Christ »,
ou « Toi qui pleurais la mort de Lazare »*

PRIÈRE UNIVERSELLE

L'animateur peut dire :

L'épreuve que nous vivons nous rend proches de tous ceux qui souffrent dans le monde.
Prions avec confiance Dieu notre Père.

Nous pouvons reprendre, après chaque intention

R/ Entends, Seigneur, la prière qui monte de nos cœurs

Pour N... qui vient de nous quitter.
Seigneur, que sa vie terrestre, faite de parenté et d'amitié, de travail et de service,
trouve en Toi son accomplissement.
Nous te prions... R/

Pour tous ceux qui sont éprouvés par sa mort,
et pour tous ceux qui souffrent de l'isolement
et de la solitude.
Seigneur, donne-leur de trouver sur leur route
quelqu'un qui les soutienne.
Nous te prions... R/

Pour les malades coupés de leur entourage,
au risque de se replier sur eux-mêmes.
Pour ceux qui se dévouent à leur service...
Seigneur, donne à chacun de se sentir plus responsable
du bonheur et de la santé des autres.
Nous te prions... R/

Pour nous tous ici rassemblés.
Seigneur, fais grandir en nous
la foi, l'espérance et la charité,
pour que nous soyons tous, un jour,
réunis dans la paix de ton Royaume.
Nous te prions... R/

☞ *Autres formulations, voir page 67 et ss.*

Celui qui anime peut conclure avec la prière suivante :

Seigneur, nous te prions avec confiance
pour tous ceux qui nous ont quittés.
Accueille-les dans ta Maison,
pour qu'ils partagent à jamais la joie du Christ Ressuscité.

POUR PRIER AVEC MARIE

Celui qui anime la prière commence ainsi :

La Vierge Marie a connu la douleur de perdre son Fils.
Elle comprend notre souffrance.
Qu'elle nous donne de rester fermes dans l'espérance,
elle qui s'est tenue debout, près de la croix de son Fils.
Qu'elle nous entoure de sa maternelle affection.

Après un silence, celui qui anime dit :

Nous pouvons dire ensemble le « Je vous salue Marie »
(ou bien une dizaine de chapelet).

A la fin, on peut chanter le refrain suivant (l'animateur aura dit les paroles auparavant) :

Toi, Notre Dame, nous te chantons.
Toi, notre Mère, nous te prions.

On peut réciter la litanie suivante
(après chaque invocation, on reprend le refrain « Priez pour nous ») :

Mère qui nous connaissez... R/
Mère qui nous écoutez... R/
Mère au cœur transpercé... R/
Mère de ceux qui souffrent... R/
Mère au pied de la croix... R/
Vierge toute simple... R/
Espoir des opprimés... R/
Source de toute grâce... R/
Réconfort des cœurs blessés... R/
Tendresse des pauvres... R/

On peut aussi, à la place des invocations, prendre un chant : par exemple « Marie de la tendresse »,
ou bien « Marie, tendresse des pauvres ».

Le cri de l'homme qui meurt
est un message confié aux étoiles
et son corps une bouteille à la mer
Il ne sait quand
Sur quelle rive
Il accostera
Entre quels bras
Il sera recueilli
De quelle nuit ou de quelle lumière
Il sera revêtu.

Michel Scouarnec

Deuxième prière

**« La preuve que Dieu nous aime,
c'est que le Christ est mort pour nous,
alors que nous étions encore pécheurs. »**
(Rm 5, 8)

POUR ENTRER DANS LA PRIÈRE

L'animateur salue les personnes présentes, et commence par quelques mots :

Nous voici réunis autour de N... qui vient de nous quitter.

Il pourra parfois préciser brièvement les circonstances de la mort : accident, longue maladie, grandes souffrances ou mort paisible...

En lui apportant l'aide fraternelle de notre prière, nous voulons affirmer ensemble que les liens d'affection et d'amitié que N... a tissés avec nous au cours de sa vie ne s'arrêtent pas avec la mort.
Nous voulons aussi, par notre présence, partager la peine de tous ceux qui l'ont connu (e), aimé (e), côtoyé (e).
Que notre prière soit l'expression de notre amitié pour eux et pour celui (celle) qu'ils viennent de perdre.

Prions pour lui (elle) comme nous aimerions que l'on prie pour nous à l'heure de notre mort.

Après quelques instants de prière silencieuse, l'animateur poursuit :

Seigneur, tu accueilles toute vraie prière,
et tu écoutes les appels de notre cœur.

Avec toute notre affection, nous te recommandons N...
qui vient de nous quitter.

Qu'il (elle) trouve maintenant près de toi
la joie et la paix des enfants de Dieu.
Par Jésus le Christ notre Seigneur.

LA CROIX DU CHRIST NOTRE ESPÉRANCE

L'animateur commence ainsi :

Regardons la croix du Christ près de N...
Elle nous rappelle l'amour de Dieu pour lui (elle), et pour chacun d'entre nous.

« Il n'y a pas de plus grand amour, dit le Seigneur, que de donner sa vie pour ses amis. » (Jn 15, 13)

On peut ajouter :

En entrant dans le peuple de Dieu, au jour de son baptême, N... a été marqué (e) du signe de la croix...
Pendant sa vie, il (elle) a connu la souffrance...

On peut chanter ce couplet du chant « Depuis l'aube » :

Si ta croix nous semble dure,
Si nos mains craignent les clous,
Que ta gloire nous rassure,
O Jésus, reste avec nous.

On peut ajouter cette prière :

Seigneur, tu nous as montré la force de ton Amour
quand tu as souffert pour nous,
jusqu'à mourir sur une croix.
Dis-nous, par cette croix,
que nous sommes aimés tels que nous sommes.
Et puisque Dieu est avec nous jusque dans la mort,
que ta croix ouvre à notre ami(e) N...
ton Royaume éternel d'amour et de paix.

POUR RENDRE GRÂCE

L'animateur peut commencer ainsi :

Au cœur même de la souffrance et du deuil, nous pouvons, en témoignage d'amitié et de reconnaissance, remercier le Seigneur de tout ce qui a fait la vie de N... et de tout ce qu'il nous a été donné de vivre avec lui (elle).

L'évocation suivante serait plus parlante si on rappelait, avant chaque formule (Pour...), des paroles, attitudes, gestes, habitudes, traits du caractère, etc. du (de la) défunt(e).

Nous répondrons à chaque invocation :

R/ Seigneur, nous te bénissons !

Pour l'amitié que nous avons trouvée auprès de N... R/

Pour la joie et la paix que sa présence (ou son sourire)
nous a apportées... R/

Pour toutes les qualités et les talents
que nous avons admirés chez lui (elle)... R/

Pour le travail (*préciser*) qu'il (elle) a accompli
au service des autres et des siens... R/

Pour les responsabilités qu'il (elle) a acceptées
et pour les services qu'il (elle) a rendus... R/

Pour le baptême et la foi qui ont fait de lui (elle) ton enfant
pour l'éternité... R/

Pour ton Eucharistie qui l'a fortifié (e)
et pour tes pardons qui l'ont purifié (e)... R/

Pour tout ce que tu as fait pour lui (elle)
et tout ce qu'il (elle) a fait pour les autres... R/

Après un temps de silence, l'animateur peut conclure :

Sois béni, Seigneur,
pour tout ce qu'il y a eu de beau et de bon
dans la vie de N...
Que rien n'en soit perdu,
et que le monde y trouve un supplément de bonheur.
Par Jésus le Christ notre Seigneur.

POUR DEMANDER LE PARDON DE DIEU

L'animateur peut commencer ainsi :

Les pécheurs, les malades, tous ceux qui souffraient, ont trouvé en Jésus le pardon et le réconfort. Il les a guéris, il les a sauvés.
Prions-le, à notre tour, avec confiance pour N... qui vient de nous quitter.

Christ, le Fils du Père, qui vins pour sauver ceux qui étaient perdus

R 1/ Nous venons vers toi, Seigneur, prends pitié de nous

ou R 2/ Vois notre misère, daigne avoir pitié

Toi, dont la tendresse ne repoussait pas le cri du malheureux... R/

Toi, vers qui les pauvres venaient, pleins de foi, chercher le réconfort... R/

Toi, que le prodigue trouvera toujours au bout de son chemin... R/

Toi, dont la promesse ouvrit au larron la joie du paradis... R/

Toi, dont la parole fit lever Lazare au fond de son tombeau... R/

(G 50)

On pourrait prendre aussi :
– « Kyrie » (A 195)
– "Dans ton amour pitié pour moi" AL 220 (de la messe « Pour un dernier adieu »)
– « Homme au milieu des hommes » (A 220-1)

L'animateur peut conclure par la prière suivante :

Seigneur Jésus Christ,
en cette heure de peine, nous nous tournons vers Toi.
Tu as voulu vivre et mourir en ce monde
pour que tout homme ait en Toi la vie et le pardon.
Nous te confions N...
Accueille-le (accueille-la), pardonne-lui
pour qu'il (elle) entre dans la joie de ton Père et notre Père.
Amen

POUR ÉCOUTER LA PAROLE DE DIEU

L'animateur peut dire :

Dans notre recherche et notre désarroi, comment ne pas nous tourner vers le Seigneur et lui dire, comme Pierre : **« A qui irions-nous, Seigneur ? Tu as les paroles de la Vie éternelle. »**
Puissions-nous trouver, dans le passage de l'Ecriture que nous allons écouter, consolation dans notre tristesse, certitude dans nos doutes, et force pour vivre cette heure douloureuse.

Il sera bon de choisir le ou les textes qui conviennent selon la personnalité du défunt, les circonstances de sa mort, etc.

☞ *On pourra choisir dans les textes du lectionnaire pour les défunts :*
- *Isaïe 25, 6a. 7-9*
- *Lamentations 3, 17-19*
- *Romains 14, 7-9. 10b-12*
- *1Thessaloniciens 4, 13-14. 17d-18*
- *1 Jean 3, 14. 16-20*
- *etc.*

On pourra prier avec un psaume. (Psaumes 15 et 22, 26, 33, 85 et 102).
En certains cas, on pourra se contenter d'une lecture brève :

Nous tous qui avons été baptisés en Jésus-Christ, c'est dans sa mort que nous avons été baptisés.
Si nous sommes passés par la mort avec le Christ, nous croyons que nous vivrons aussi avec lui.
Nous le savons en effet :
ressuscité d'entre les morts, le Christ ne meurt plus.
(Ro 6, 3.8-9)

J'en ai la certitude : ni la mort ni la vie, ... ni le présent ni l'avenir, ... rien ne pourra nous séparer de l'amour de Dieu qui est en Jésus Christ notre Seigneur. (Ro 8, 38-39)

Aucun d'entre nous ne vit pour soi-même, et aucun ne meurt pour soi-même : si le Christ a connu la mort, puis la vie, c'est pour devenir le Seigneur et des morts et des vivants. (Ro 14, 7-9)

Si nous avons mis notre espoir dans le Christ pour cette vie seulement, nous sommes les plus à plaindre de tous les hommes. Mais non ! le Christ est ressuscité d'entre les morts, pour être parmi les morts le premier ressuscité. (1 Co 15, 19-20)

☞ *Voir aussi p. 19.*

Pour conclure, l'animateur pourra prendre une prière de l'une des autres pages du recueil.

POUR DIRE NOTRE ESPÉRANCE

L'animateur peut dire :

Dieu connaît notre espérance et notre tristesse. Prions-le de nous apporter, dans cette épreuve, le soutien de la foi et la certitude de son amour.

Après un temps de silence, l'animateur propose :

Après chaque invocation, nous répondrons :

R/ Seigneur, augmente notre foi !

Toi qui as accepté de devenir l'un de nous... R/

Toi qui es venu dans un monde qui ne t'a pas reçu... R/

Toi qui as voulu vivre trente années d'une vie de travail... R/

Toi qui as affronté l'incompréhension et l'hostilité pour défendre la vérité... R/

Toi qui nous as aimés jusqu'à mourir sur une croix... R/

Toi qui, en donnant ta vie,
nous fais vivre éternellement avec toi... R/

Toi qui es monté au ciel nous préparer une place... R/

☞ *On peut aussi prendre le chant*
« Depuis l'aube ».

L'animateur peut conclure par la prière suivante :

Seigneur Jésus Ressuscité,
toi seul peux nous rendre confiance,
quand il nous semble que la mort est victorieuse.
Augmente notre foi,
affermis notre espérance en la Résurrection,
nous t'en prions,
toi qui es vivant pour les siècles des siècles. Amen

PRIÈRE UNIVERSELLE

L'animateur peut commencer en disant :

Jésus redonnait espoir et vie à ceux qui se tournaient vers lui. Portons aujourd'hui devant lui la prière de tous ceux qui souffrent.

R/ Il fait nuit sur nos chemins, reste avec nous, Seigneur !

Pour N... que nous connaissions et qui vivait avec nous.
Accorde-lui, Seigneur, de vivre maintenant
avec toi pour toujours.
Nous t'en prions... R/

Pour tous ceux qui souffrent, près de nous ou loin de nous,
pour tous ceux qui sont seuls,
dans leur souffrance ou leur vieillesse.
Seigneur, donne-leur des frères sur qui ils puissent compter.
Nous t'en prions... R/

Pour ceux qui ne trouvent plus de sens à leur vie,
pour ceux qui sont désespérés,
et qui ne peuvent plus croire en la vie.
Aide-nous, Seigneur, à travailler tous ensemble
pour une terre plus fraternelle,
où chacun trouve une place et des raisons de vivre.
Nous t'en prions... R/

Pour nous tous ici rassemblés autour de N...
Donne-nous, Seigneur, de garder fidèlement son nom
gravé au fond de notre cœur.
Nous t'en prions... R/

☞ *Autres formulations, voir page 65 et ss.*

L'animateur peut conclure en invitant à dire le Notre Père :

Alors que s'achève notre prière, laisse-nous, Seigneur, redire les mots de la confiance, ceux que tu nous as appris : NOTRE PÈRE QUI ES AU CIEUX...

POUR PRIER AVEC MARIE

L'animateur peut commencer ainsi :

Nous allons maintenant nous tourner vers Marie, notre Dame et notre Mère.
Elle nous comprend, puisqu'elle était près de son Fils qui mourait sur la croix, comme nous aujourd'hui, près de N... qui vient de mourir.
Que sa prière « pour nous maintenant » nous soutienne dans l'épreuve.
Que sa prière « à l'heure de notre mort » ouvre à notre ami (e) défunt (e) la porte du ciel.

Ensemble, nous disons quelques « JE VOUS SALUE MARIE »

A la fin, on peut chanter le refrain (l'animateur aura dit les paroles auparavant) :

Toi, notre Dame, nous te chantons.
Toi, notre Mère, nous te prions.

Prions encore Marie en répondant aux invocations suivantes :

R/ Obtiens-lui la lumière et la paix

Vierge Marie, Mère de Dieu... R/
Vierge Marie, Mère du Sauveur... R/
Vierge Marie, Mère de tous les hommes... R/
Vierge Marie, pleine de bonté... R/
Vierge Marie, Mère de ceux qui souffrent... R/
Vierge Marie, Mère de ceux qui sont découragés... R/
Vierge Marie, réconfort des malheureux... R/
Vierge Marie, secours des agonisants... R/
Vierge Marie, notre mère... R/
Vierge Marie, notre espérance... R/

Au lieu de dire toutes ces invocations à la file, on pourrait en prendre une à chaque « Je vous salue Marie » de la dizaine de chapelet.

On peut aussi prendre, à la place de ces invocations, le chant « Marie de la tendresse » ou « Marie, tendresse des pauvres ».

Ne pas s'incliner devant ce qu'on appelle le destin.
Prendre dans l'événement qui nous frappe ce qui est une poussée de force pour nous, pour les autres.

Ne pas subir ce qui paraît nous écraser.
Mais au contraire tenir à pleines mains
cette dalle qui est pour nous : la soulever à bout de bras.
Vouloir le faire.
Vouloir rejeter cette lourde dalle pour voir enfin le ciel.
Et chacun de nous peut voir son ciel.

La vie : chacun de nous en fait une expérience nouvelle, personnelle.
Et de toute expérience, dure ou douce, l'homme doit tirer du bien.

Il n'y a pas d'événement qui soit vain dans la vie.
Pas de jour, pas d'épreuves qui soient inutiles.
A condition qu'on ne les contemple pas, fascinés, immobiles comme l'est une proie d'un serpent, mais qu'on se serve d'eux comme un appui pour aller plus avant.

Martin Gray,
Le livre de la vie, Editions Robert Laffont, 1973.

Prier au départ de la maison

**« Ne soyez pas bouleversés :
vous croyez en Dieu, croyez aussi en moi.
Dans la maison de mon Père,
beaucoup peuvent trouver leur demeure ;
sinon, est-ce que je vous aurais dit :
Je pars vous préparer une place ?
Quand je serai allé vous la préparer,
je reviendrai vous prendre avec moi ;
et là où je suis, vous y serez aussi. »**
(Jn 14, 1-3)

TEMPS DE PRIÈRE

Au moment où le cercueil va quitter la maison, un ami ou un proche peut animer ce temps de prière.

Au nom du Père, et du Fils, et du Saint Esprit.
Notre ami N... va quitter maintenant cette maison
où il a vécu une grande part de son existence.
Rappelons-nous les paroles de l'Apôtre Saint Paul :

**« Frères, nous le savons,
le corps, qui est notre demeure sur la terre,
doit être détruit,
mais Dieu construit pour nous dans les cieux
une demeure éternelle qui n'est pas l'œuvre
des hommes. »** (2 Co 5,1)

Forts de cette espérance, nous pouvons dire avec confiance la prière des enfants de Dieu :
NOTRE PERE QUI ES AUX CIEUX...

Celui qui anime peut conclure :

Seigneur, N... s'en va maintenant
et quitte ce qui fut sa maison.
Mais, nous le croyons,
lorsque prend fin notre séjour sur la terre,
nous avons déjà une place près de Toi.
Accueille-le (la) parmi tous ceux
qui ont déjà rejoint ta maison.
Et, à nous ses amis,
donne la force de faire de notre vie une marche vers Toi,
qui es vivant pour les siècles des siècles. Amen

Que le Seigneur, notre lumière, guide nos pas sur le chemin de la paix.

Prier au cimetière

« Si le grain de blé tombé en terre ne meurt pas, il reste seul ; mais s'il meurt, il donne beaucoup de fruit. »

(Jn 12, 24)

Quand les proches sont rassemblés près de la tombe, celui qui anime peut introduire le temps de prière par ces mots

Ici s'achève le chemin de N... parmi nous ;
mais tout n'est pas terminé entre nous pour autant.
Nous reviendrons ici, pour nous souvenir,
comme tant d'hommes et de femmes qui viennent se recueillir sur la tombe d'un être cher (dans ce lieu où tant de défunts de nos familles ou de nos amis ont précédé N... qui nous a quittés).
Faisons silence une dernière fois, et prions.

Après un moment de silence, l'animateur peut faire cette prière :

Seigneur Jésus Christ, Toi le Vivant ressuscité,
nous nous tournons vers toi,
Toi, l'un de nous,
Toi, plus grand que nous,
Toi qui nous appelles au-delà de nous-mêmes.
Tu es déjà présent dans ces liens noués entre les hommes.
Tiens-nous debout dans l'Amour plus fort que la mort.
Donne à N... de reposer en paix dans ce tombeau,
jusqu'au jour où tu le réveilleras dans la lumière sans déclin,
et où nous pourrons dire tous ensemble :

NOTRE PÈRE QUI ES AUX CIEUX...

L'animateur peut conclure :

Dans l'espérance de la résurrection,
que N... repose dans la paix.
Au nom du Père et du Fils et du Saint-Esprit.

Prier au crématorium

« Tes morts revivront,
leurs cadavres ressusciteront.
Réveillez-vous, criez de joie,
vous qui demeurez dans la poussière !
Car Ta rosée, Seigneur,
est une rosée de lumière
et la terre ramènera au jour
les trépassés. »
(Is 26, 19)

L'animateur commencera par l'une ou l'autres des suggestions suivantes :

Qu and tout semble nous abandonner, c'est alors que nous découvrons l'essentiel...
C'est vrai que le feu détruit, mais il ne détruit que le périssable ; l'impérissable demeure...
Au-delà de la mort, Dieu recrée toutes choses et le corps de chaque homme dans la nouveauté éternelle de son amour...
Recueillons-nous
en laissant Dieu lui-même nous unir à N...

Après un temps de silence, on peut lire un texte biblique, par exemple :

« Frères, au dernier jour,
les morts ressusciteront, impérissables,
et nous serons transformés.
Car il faut que ce qui est périssable en nous
devienne impérissable ;
il faut que ce qui est mortel revête l'immortalité. »
(1 Co 15, 52-53)

☞ *On pourra choisir dans les textes du lectionnaire pour les défunts :*
- *Isaïe 25, 6a. 7-9*
- *Lamentations 3, 17-19*
- *Romains 14, 7-9. 10b-12*
- *1Thessaloniciens 4, 13-14. 17d-18*
- *1 Jean 3, 14. 16-20*
- *etc.*

Après un silence, celui qui anime peut conclure par un NOTRE PERE et la prière suivante :

Seigneur, il y a ... années,
tu as appelé ton serviteur N... à la vie.
Dans les luttes et les souffrances,

dans les faiblesses et les grandeurs de sa vie,
tu es resté avec lui.
(Puisque, par ta Parole et tes sacrements,
tu lui as visiblement manifesté ton salut,
nous reconnaissons ta volonté de lui accorder
la vie éternelle.)
Avec confiance, nous te prions de l'accueillir près de toi.
Son corps disparaît à nos yeux,
ses cendres nous rappelleront toujours
que désormais nous devons le chercher ailleurs.
Et maintenant, nous nous tournons vers toi, Seigneur.
Ne reste pas muet dans notre existence,
prononce en nous la Parole qui nous donnera
de te connaître et qui nous permettra d'avancer à notre tour,
avec confiance, courage et espérance,
vers ce que tu nous promets.
Viens, Seigneur Jésus !
AMEN

Ce matin, je pensais à ceci : l'enfant dans le ventre de sa mère est au chaud et vraisemblablement heureux. Il croit que ce petit espace tiède est son univers, où rien ne manque. De l'univers que nous connaissons, quel soupçon peut-il avoir ? Aucun. En admettant qu'on puisse entrer en communication avec l'enfant qui n'est pas encore né, quelle notion pourrions-nous lui donner de ce qu'est un livre, une maison ? Pas la moindre.

Nous sommes dans la même situation par rapport au monde de l'au-delà qui s'étend autour de nous et que nous n'atteignons, en général, que dans la mort. En réalité, nous sommes aussi dans une cavité sombre où nous nous plaisons, et nous ne naîtrons qu'en poussant des cris, quand nous mourrons.

Alors, nous découvrirons un univers d'une beauté inexprimable...

Julien Green,
Journal, 20 novembre 1938, Plon.

Pour des circonstances particulières

LE DÉCÈS D'UN JEUNE

Celui qui dirige la prière peut commencer ainsi :

Nous sommes tous bouleversés par le départ de N... Les mots ne peuvent pas exprimer vraiment ce que nous ressentons. En silence, quelques instants, regardons son visage, pour nous rappeler ce qu'il était pour nous, ce qu'il reste pour nous...

Après un temps de silence :

Nous avons du mal à comprendre que l'on puisse mourir si jeune, et qu'une vie soit brisée alors qu'elle commençait à s'épanouir. Nous sommes tentés d'en vouloir à Dieu, et de dire au Christ comme la sœur de Lazare : « Seigneur, si tu avais été là, notre frère ne serait pas mort... » ou comme les amis de Lazare : « Lui qui a ouvert les yeux de l'aveugle, ne pouvait-il pas empêcher Lazare de mourir ? »

Confions au Seigneur notre souffrance et notre peine.

La prière pourra continuer en reprenant d'autres éléments de ce livret, ou ceux qui auront été préparés par les amis du défunt.

On pourra dire pour conclure :

Seigneur, ceux qui ont reçu de toi leur vie
ne sont-ils pas entre tes mains lorsqu'ils meurent ?...
Nous qui restons bouleversés par ce départ,
regarde-nous aussi avec tendresse.
Donne-nous la grâce de l'espérance,
la force pour nous soutenir
et le courage de vivre mieux encore.

UNE MORT VIOLENTE
(ACCIDENT, SUICIDE)

Celui qui dirige la prière peut commencer ainsi :

N... nous a quittés. La brutalité de sa mort ajoute encore à notre peine et nous invite au silence. Nous sommes là, déchirés et abattus, les lèvres fermées sur nos « pourquoi ? ». Nos questions restent sans réponses : que s'est-il passé ? qu'aurions-nous pu faire ? qu'aurions-nous dû faire pour éviter cela ?... Nous ne le savons pas et nous ne le saurons jamais.

Après un temps de silence

Devant cette mort qui nous interroge et nous fait souffrir, tournons-nous vers Dieu.

☞ *On peut prendre la page 21.*

Rappelons-nous la parole du Christ :

La volonté de mon Père, c'est que tout homme qui voit le Fils et croit en lui obtienne la vie éternelle ; et moi, je le ressuciterai au dernier jour.

Que Jésus nous aide à dire tous ensemble :
NOTRE PERE QUI ES AUX CIEUX...

Oui, Seigneur,
toi qui nous aimes tous,
sans distinction, sans limites,
d'un amour inconditionnel et éternel,
nous te prions,
pour que N... entre dans cette paix véritable
que Toi seul peux donner.

Nous te demandons aussi,
pour nous ses proches et ses amis,
que son départ nous enracine dans l'espérance
et l'amour fraternel.

UN DÉCÈS À L'HÔPITAL

A l'occasion du rassemblement des proches à la chambre mortuaire de l'hôpital, l'animateur peut dire :

Nous sommes rassemblés autour de N... en ce lieu où il a vécu les derniers temps de son combat contre la maladie...

Il peut ajouter, selon les circonstances

Rappelons-nous son courage... ses moments d'espoir... la patience dont il faisait preuve... la volonté de vivre qui l'habitait...

En ce lieu qui rassemble tant de souffrances et de solitudes, mais où travaillent aussi tant d'hommes et de femmes qui unissent leurs efforts au service de la vie, faisons silence et prions le Seigneur.

Celui qui anime peut choisir une lecture brève de la Parole de Dieu :

☞ *Voir page 19 et 35.*

Il peut aussi prendre un texte plus long :

☞ *On pourra choisir dans les textes du lectionnaire pour les défunts :*
– Isaïe 25, 6a. 7-9
– Lamentations 3, 17-19
– Romains 14, 7-9. 10b-12
– 1Thessaloniciens 4, 13-14. 17d-18
– 1 Jean 3, 14. 16-20
– etc.

Après un silence, l'animateur peut inviter les gens présents à dire le NOTRE PERE...
avant de conclure par la prière suivante :

Seigneur, il a fallu la mort
pour que N..., notre ami, ne souffre plus,

mais c'est pour nous la source d'une autre douleur.
Nous nous tournons vers Toi, Seigneur notre Dieu.
Nous savons qu'après l'agonie de ton Fils Jésus-Christ
et sa mort sur la croix,
tu l'as ressuscité d'entre les morts.
Fais-nous redécouvrir, en suivant ses pas,
que le chemin du calvaire conduit tous ceux
qui le gravisssent jusqu'au soleil du matin de Pâques.
Donne force et espérance à tous ceux qui travaillent à guérir et à soulager la souffrance des autres.
Et accueille N... dans la clarté et la paix de ton Royaume.

LE DÉCÈS D'UN PETIT ENFANT

L'animateur pourra s'inspirer, selon les circonstances, des phrases qui suivent :

– Nous attendions cet enfant et nous voulions nous rassembler pour fêter son entrée dans la vie et dans la communauté chrétienne...
– Pourquoi cet enfant, ce « projet » riche de nos espérances les plus profondes, nous est-il arraché ?...
– Lui qui s'ouvrait à la vie, pourquoi la vie l'a-t-elle quitté si tôt ?

Dans le silence, confions notre peine au Seigneur...

Après un moment de silence, l'animateur continue :

Rappelons-nous la parole du Christ :

« Celui qui se fera petit comme un enfant, c'est celui-là qui est le plus grand dans le Royaume des cieux. Et celui qui accueillera un enfant comme celui-ci en mon nom, c'est moi qu'il accueille... Gardez-vous de mépriser un seul de ces petits, car, je vous le dis, leurs anges dans les cieux voient sans cesse la face de mon Père qui est aux cieux. » (Mt 18, 4-5.10)

Disons ensemble la prière que Jésus nous a apprise : NOTRE PERE...

L'animateur peut conclure par l'une des prières suivantes :

Seigneur,
tu seras seul à connaître vivant cet enfant
que la mort nous arrache à sa naissance.
Mais avant même d'être né, n'était-il pas aimé ?

Toi qui l'aimes aussi depuis le commencement,
nous te prions :
puisqu'il n'a pas pu vivre auprès de nous,
fais-le vivre auprès de toi pour les siècles des siècles.

ou bien

Dieu notre Père, tu vois combien nous sommes tristes à cause de cet enfant qui nous a quittés :
Donne à ceux qui pleurent son départ de croire fermement qu'il est auprès de toi.

Prière universelle

PREMIÈRE INTENTION : POUR LE DÉFUNT

Selon les circonstances, on choisira parmi les formulations suivantes :

1. Prions pour N... qui nous a quittés.
Seigneur, que son passage par la mort le conduise
dans la paix de Dieu.
Nous t'en supplions.

2. Prions pour N...
Seigneur, toi qui nous as donné la lumière du jour,
tu nous as faits non pour la mort, mais pour la vie.
Accorde à celui (celle) que nous perdons aujourd'hui
la vie en plénitude près de toi.
Nous t'en supplions.

3. Prions pour N... qui nous était si proche
et qui nous a quittés.
Seigneur, que le bien qu'il (elle) a fait porte ses fruits
et soit continué.
Que le mal qu'il (elle) a pu faire lui soit pardonné.
Et que son souvenir reste vivant dans nos cœurs.
Nous t'en supplions.

4. Prions pour N...
Seigneur, toi qui aimes la vie, le bonheur, l'amitié,
regarde, nous t'en prions,
combien il (elle) a rendu les siens heureux,
combien il (elle) avait d'amis.
Donne-lui maintenant la plénitude de ta vie et de ta joie.
Nous t'en supplions.

5. Prions pour N...
Seigneur, tu sais – mieux que nous – les richesses d'amour qui ont illuminé sa vie.
Tu connais aussi ses faiblesses.
Oublie ce qui a pu ternir son regard et son cœur.
Regarde ce qui a été le meilleur de son existence,
et accueille-le (la) près de toi et de tes amis,
dans ta cité de paix.
Nous t'en supplions.

DEUXIÈME INTENTION : POUR LA FAMILLE ET LES PROCHES

Selon les circonstances, on choisira parmi les formulations suivantes :

1. Pour les proches et les amis de N...
Seigneur, que malgré le deuil et la peine,
ils gardent l'assurance
que la séparation n'est pas définitive.
Nous t'en supplions.

2. Pour les proches et les amis de N...
qui le (la) pleurent aujourd'hui.
Sois près d'eux, Seigneur, avec la force de ton amour.
Donne-leur le courage de surmonter
la douleur de la séparation,
et aussi, de vivre dans l'espérance
de retrouver un jour celui (celle) qu'ils aiment.
Nous t'en supplions.

3. Prions pour ceux qui ont perdu un être cher
et qui doivent vivre avec une place vide à leurs côtés.
Donne-leur, Seigneur,
de marcher avec courage sur la route de la vie.
Qu'ils trouvent près d'eux des amis qui leur tiennent fraternellement la main.
Nous t'en supplions.

4. Prions pour tous ceux qui sont aujourd'hui
dans la nuit et la peine.
Sois toi-même, Seigneur, leur courage et leur force.
Qu'ils mettent leur espérance en toi
qui as vaincu la mort
et qui donnes la vie.
Nous t'en supplions.

5. Prions pour ceux qui sont dans la tristesse
à cause d'un enfant... d'un père... d'une mère...
ou d'un compagnon
qu'il leur a fallu perdre.
Apprends-nous, Seigneur, à être à leurs côtés
avec notre affection et notre amitié.
Qu'ils osent, de nouveau, faire confiance à la vie.
Nous t'en supplions.

TROISIÈME INTENTION : POUR CEUX QUI SOUFFRENT

Selon les circonstances, on choisira parmi les formulations suivantes :

1. Pour ceux qui sont à l'heure de la mort.
Qu'ils trouvent près d'eux quelqu'un
qui les aide à se tourner vers Dieu.
Ensemble, supplions.

2. Pour les malades qui n'espèrent plus guérir,
ceux qui souffrent atrocement et sont découragés.
Qu'ils gardent malgré tout confiance en Dieu.
Ensemble, supplions.

3. Pour les malades et les vieillards
qui peuplent les hôpitaux et les maisons de retraite.
Pour tout le personnel qui se dévoue à leur service,
avec délicatesse et patience.
Que le Seigneur donne à tous ceux qui souffrent
de trouver près d'eux quelqu'un qui les aide.
Ensemble, supplions.

4. Pour ceux que la vie a marqués,
durement éprouvés dans leur cœur ou dans leur corps.
Que le Seigneur leur accorde la force de vivre
et le courage de lutter.
Qu'il ouvre nos yeux à leur souffrance et à leur peine.
Ensemble, supplions.

5. Pour tous ceux que décourage la dureté des hommes.
Qu'ils ne croient pas le mal plus fort que le bien,
mais qu'ils gardent un cœur ouvert
qui sait attendre et espérer.
Ensemble, supplions.

QUATRIÈME INTENTION : POUR L'ÉGLISE ET POUR NOUS-MÊMES

Selon les circonstances, on choisira parmi les formulations suivantes :

1. Pour ceux qui croient en la résurrection,
et pour tous ceux qui cherchent la vérité,
prions le Seigneur.

2. Pour tous les chrétiens,
afin qu'au milieu du monde
ils témoignent de leur foi en la résurrection,
prions le Seigneur.

3. Pour les chrétiens du monde entier,
et pour nous tous ici réunis,
afin que nous sachions vivre dans la foi et l'espérance,
prions le Seigneur.

4. Pour l'Église,
afin qu'elle révèle au monde que le Christ est Seigneur,
des vivants et des morts,
prions le Seigneur.

5. Pour l'Eglise ici et dans le monde entier,
afin qu'elle vive dans la paix et l'unité,
prions le Seigneur.

6. Pour que la paix s'étende dans le monde entier,
et que l'Eglise progresse vers l'unité et dans l'amour,
prions le Seigneur.

D'autres formes de prières

PRIER
AVEC DES FLEURS

Si l'on veut souligner la présence des fleurs près du défunt, l'animateur pourra dire en commençant :

Nous avons disposé ces fleurs en signe d'affection et de respect.
Elles nous parlent de toutes ces présences qui ne savent pas comment s'exprimer.
Elles sont aussi pour nous signes d'une espérance.

Après un temps de silence, il peut dire la prière suivante :

Seigneur, Toi qui as dit
en t'émerveillant devant les fleurs des champs :
« si Dieu revêt ainsi l'herbe d'un jour,
combien plus fera-t-il pour vous, hommes de peu de foi... »
Tu peux pour N... beaucoup plus que nous.
Habille-le (la) de ta gloire,
et qu'il (elle) refleurisse un jour,
plein de lumière,
comme le corps du Christ au matin de Pâques !

PRIER
AVEC DE L'EAU

Si l'on a prévu un geste d'aspersion,
l'animateur pourra le faire précéder de la monition suivante :

L'eau que nous allons prendre pour bénir le corps de N... nous rappelle son baptême dans la mort et la résurrection du Christ.

Après un temps de silence, il peut dire la prière suivante :

Sois béni, Seigneur, pour cette eau.
Par elle, nous rappelons le baptême de N...,
et nous célébrons toutes les marques d'amour
que Tu lui as témoignées durant sa vie terrestre.
Nous proclamons aussi notre espérance
en tes promesses de vie et de résurrection.
Maintenant qu'il (elle) nous a quittés,
accueille-le (la) près de Toi !

Table des matières

Mise en page par EDIMICRO
29, rue Descartes – 75005 PARIS
Tél. : (1) 43 25 35 77 & 36 77 – Télécopie : (1) 43 25 37 65

Achevé d'imprimer par Corlet, Imprimeur, S.A. - 14110 Condé-sur-Noireau (France)
N° d'Éditeur : 4952 - N° d'Imprimeur : 14741 - Dépôt légal : janvier 1996

Imprimé en C.E.E.